Geräuchertes und Grillfleisch

50 besten Rezepte für geräuchertes Essen

Christabel Winkler

Haftungsausschluss

Die enthaltenen Informationen sollen als umfassende Sammlung von Strategien dienen, über die der Autor dieses eBooks recherchiert hat. Zusammenfassungen, Strategien, Tipps und Tricks sind nur Empfehlungen des Autors. Das Lesen dieses eBooks garantiert nicht, dass die Ergebnisse genau den Ergebnissen des Autors entsprechen. Der Autor des eBooks hat alle zumutbaren Anstrengungen unternommen, um den Lesern des eBooks aktuelle und genaue Informationen zur Verfügung zu stellen. Der Autor und seine Mitarbeiter haften nicht für unbeabsichtigte Fehler oder Auslassungen. Das Material im eBook kann Informationen von Dritten enthalten. Materialien von Drittanbietern bestehen aus Meinungen, die von ihren Eigentümern geäußert wurden. Daher übernimmt der Autor des eBooks keine Verantwortung oder Haftung für Material oder Meinungen Dritter.

Inhaltsverzeichnis

EINFÜHRUNG

Wenn Sie ab und zu gut grillen, verpassen Sie es, wenn Sie nicht mit Traeger zusammen sind. Traegers sind schließlich Holzgrills. Am Ende des Tages gewinnen immer Holz und Propan. Der Geschmack, Ihr Fleisch auf einem Holz- oder Holzkohlefeuer zu kochen, ist Ihnen alles andere überlegen. Das Kochen Ihres Fleisches auf Holz verleiht einen ausgezeichneten Geschmack.

Bei jedem anderen Pelletgrill müssen Sie das Feuer ständig überwachen, um Aufflackern zu vermeiden, was das Babysitzen zu einem Schmerz im Arsch macht. Traeger verfügt jedoch über eine integrierte Technologie, um sicherzustellen, dass Pellets regelmäßig gefüttert werden. Um zu sehen, wie heiß der Grill ist, misst er und fügt Holz zu / Pellets hinzu oder entfernt es, um die Temperatur zu steuern. Natürlich verfügt ein Traeger-Grill über einen einfach zu bedienenden Temperaturregler

Sie können zwischen billigen Grills und teuren Grills von Traeger wählen. Wählen Sie eine zwischen 19.500 BTU oder 36.000 BTU. Alles ist auch möglich. Die Grillleistung variiert mit der Grillintensität.

Sie sind nicht nur Grills. Sie sind auch Mischer. Der gesamte Kochbereich ist durch Hauben verdeckt, die Sie herunterziehen können. Wärme wird in den Kochbereich gedrückt. Es ist wahrscheinlich, dass heiße Luft und Rauch gleichmäßig verteilt werden, während Ihr Essen im Topf kocht.

Zusätzlich sind Traeger-Grills auch ein Heißluftofen. Im Allgemeinen sind Traegers ziemlich verzeihend. Nur zur Veranschaulichung ... Sie können einen

Traeger verwenden, um ein Steak sowie eine Pizza zu kochen. Sogar mehr.

Es verbraucht auch weniger Strom. Die Ersteinrichtung dauert 300 Watt. aber nur der Beginn des Prozesses. Danach verbraucht die Glühbirne nur noch 50 Watt.

Was ist der Grill? Rauchen oder Grillen?

Ja und nein. Obwohl die gebräuchlichste Verwendung des Begriffs „Grillen" den Gartengrill beschreibt, haben einige Leute eine andere Definition des Begriffs. Das Grillen kann in zwei Kategorien unterteilt werden: heiß und schnell und niedrig und langsam.

Beim Grillen wird im Allgemeinen eine direkte Wärme zwischen 300 und 500 Grad verwendet. Es macht einen tollen Job auf Steak, Huhn, Koteletts und Fisch. Während das Essen kocht, müssen Sie es genau beobachten, um Verbrennungen zu vermeiden. Es nimmt nicht weniger rauchigen Geschmack auf. Meistens ist dies eine einfache und unterhaltsame Art zu kochen. Sie haben genügend Zeit, um während des Kochens mit Ihren Freunden und Ihrer Familie abzuhängen.

Es ist niedrig und langsam. Indirekte Hitze und Temperaturen in einem Raucher liegen normalerweise zwischen 200 und 275. Wenn Sie schon einmal in Kansas City, Memphis oder Texas waren, wissen Sie, wovon ich spreche. Ein langsam und schwach geräuchertes Stück Fleisch kann zwischen 2 und 15 Stunden brauchen, um seinen natürlichen Geschmack voll zu entfalten. Wenn Sie in ein langsam geräuchertes Fleisch schauen, bedeutet ein rosa "Rauchring", dass das Fleisch schon lange im Raucher ist

Verwendung von Holz bei Grillrauchern

Die Essenz eines guten Grillrauchens ist Holz. Es ist das, was dem Gericht seinen Geschmack verleiht. Holz war einst der einzige verfügbare Brennstoff, aber es ist schwierig, die Temperatur und die Rauchmenge zu kontrollieren, die das Fleisch erreichen. Die Mehrheit der Menschen benutzt heutzutage Holzkohle-, Gas-, Pellet- oder Elektro-Raucher. Das Holz wird in Stücken, Pellets oder Sägemehl hinzugefügt, und es schwelt und erzeugt eine schöne Menge Rauch.

Der häufigste Anfängerfehler ist das Überrauchen des Fleisches. Anfänger sollten mit einer kleinen Menge Holz beginnen und sich nach oben arbeiten. Es ist ein weit verbreitetes Missverständnis, dass Sie das Holz vor der Installation einweichen sollten, aber es macht keinen großen Unterschied. Holz nimmt Wasser nicht gut auf und verdunstet schnell. Wenn Sie eingeweichtes Holz auf Holzkohlekohlen legen, kühlt es diese ab und Sie möchten die Temperatur beim Räuchern von Fleisch konstant halten.

Abhängig von der verwendeten Holzart variiert der Geschmack. Die beste Holzart ist trockenes, nicht grünes Holz. Bei der Auswahl von Holz ist es wichtig, safthaltige Hölzer wie Kiefern, Zedern, Tannen, Zypern, Fichten oder Rotholz zu vermeiden. Der Saft verleiht dem Fleisch einen abstoßenden Geschmack. Außerdem sollten Holzreste niemals verwendet werden, da sie normalerweise mit Chemikalien behandelt werden. Es ist keine gute Idee, einen Grill zu rauchen. Hickory, Apfel, Erle und Mesquite sind einige der beliebtesten Hölzer. Hickory und Mesquite verleihen Fleisch einen kräftigen Geschmack, daher eignet es sich am besten für stark gewürztes Fleisch wie Rippchen. Apfel- und Erlenholz erzeugen einen süßeren, leichteren Rauch, der sich ideal für nicht übermäßig gewürztes Fleisch wie Fisch und Hühnchen eignet.

Sie können die Chips direkt mit der Holzkohle in einen Holzkohlegrillraucher werfen. Holzklumpen eignen sich am besten für Gasgrills. Wenn Sie Probleme haben, die Holzstücke zum Schwelen zu bringen, wickeln Sie sie in Alufolie ein und schneiden Sie oben Schlitze. Legen Sie die Holzstücke in einen Folienbeutel auf die heißen Kohlen. In wenigen Minuten sollte das Holz zu schwelen beginnen. Es ist wichtig, das Holz so schnell wie möglich in den Grillprozess einzubeziehen. Rauch wird von kaltem Fleisch leichter aufgenommen.

Sie sollten immer die Menge an Holz wiegen, die Sie hineingegeben haben. Auf diese Weise können Sie die Menge jedes Mal fein einstellen, um den gewünschten Effekt zu erzielen. Abhängig von der Dicke des Fleisches variiert die Menge. Verwenden Sie für Rippchen 8 Unzen für Bruststück und gezogenes Schweinefleisch und 2 Unzen für Huhn, Truthahn und Fisch etwa 4 Unzen Holz.

Wenn das Holz anfängt zu brennen oder es einen langen Grillrauch gibt, müssen Sie möglicherweise kreativ werden. Um das Holz weiter zu isolieren, legen Sie es in eine Eisenpfanne auf die Kohlen. Für längeres Grillen können Sie auch eine sogenannte Rauchbombe herstellen. Füllen Sie eine Folienpfanne mit ausreichend Wasser, um die Holzspäne zu bedecken, und die andere mit genügend Wasser, um die Holzspäne zu bedecken. Derjenige, der nicht nass ist, beginnt sofort zu schwelen. Wenn das Wasser aus dem zweiten verdunstet, entzündet es sich und schwelt. Sie müssen die Tür nicht ständig öffnen, um auf diese Weise mehr Holz hinzuzufügen.

KAPITEL EINS
Hauptgericht

1. Jamaikanische Ruck-Spareribs

Zutaten

- 2000 g Spareribs
- 2 Knoblauchzehen
- 2 Zwiebeln
- 4 Chilischoten (frisch)
- 1 Orange (Saft)
- 2 TL Rum (weiß)
- 4 EL Rohrzucker

- 8 EL Pflanzenöl
- 1/2 Teelöffel Nelkenpulver
- 1/2 Teelöffel Zimt (gemahlen)
- 1/4 Teelöffel neues Gewürz (gemahlen)
- Salz-
- Pfeffer

Vorbereitung

1. Für jamaikanische Ruck-Spareribs zuerst den Knoblauch schälen und auspressen. Den Chili in dünne Ringe schneiden. Wenn Sie möchten, dass die Spareribs weniger scharf sind, entfernen Sie die Steine vorher. Zwiebeln schälen und fein hacken.

2. Mischen Sie die Gewürze mit Salz und Pfeffer. Alle anderen Zutaten hinzufügen und gut umrühren. Legen Sie die Spareribs mindestens 6 Stunden in die Marinade.

3. Aus der Marinade nehmen, abtropfen lassen (aber die Marinade einsammeln)

und bei indirekter Hitze etwa eine halbe
Stunde grillen. Drehen Sie die
jamaikanischen Rippchen immer wieder
und bürsten Sie sie mit der Marinade.

2. Rippchen in Biermarinade

Zutaten

- 2500 g SchweinerippchenFür die
  Marinade:
- 5 Knoblauchzehen (fein gehackt)
- 1 Zwiebel (fein gehackt)
- 250 ml Schwarzbier
- 1 EL Essig
- 3 EL Pflanzenöl
- 2 EL Ahornsirup

- 125 ml Worcestershire-Sauce
- 2 EL Harissa
- Salz-
- Pfeffer (frisch gemahlen)

Vorbereitung

1. Alle Zutaten für die Marinade in einen Topf geben und zum Kochen bringen. Dann abkühlen lassen.

2. Die Spareribs über Nacht in der Marinade im Kühlschrank einweichen.

3. Am nächsten Tag etwa eine halbe Stunde vor Gebrauch aus dem Kühlschrank nehmen.

4. Die Rippen abtropfen lassen und die Rippen von allen Seiten ca. 10-15 Minuten grillen.

3. Cevapcici

Zutaten

- 1 kg Hackfleisch (gemischt: ca. 100 g Lammfleisch, 200 g Rindfleisch, 700 g Schweinefleisch)
- 1 Teelöffel Zucker
- 1 Teelöffel Soda
- 1/2 Teelöffel Pfeffer

- 1 Teelöffel Salz
- 2 EL Öl
- Zwiebeln (nach Geschmack)

Vorbereitung

1. Für die Cevapcici alle Zutaten mit Ausnahme der Zwiebeln in eine Schüssel geben, gut kneten und ca. 15 Minuten ruhen lassen.

2. Dann Cevapcici formen und auf ein Backblech legen. (Da das Hackfleisch ölig genug ist, muss das Backblech nicht mehr gefettet werden.) Decken Sie das Blech mit Aluminiumfolie ab und braten Sie es bei mittlerer Hitze etwa 20 Minuten lang.

3. In der Zwischenzeit die Zwiebeln in kleine Stücke schneiden. Dann servieren Sie die Zwiebeln roh mit den Cevapcici.

4. Feuersüße Spareribs

Zutaten

- 1200 g Schweinerippchen
- 1 Limette (zum Servieren)
- Für die Marinade:
- 2 Knoblauchzehen
- 1 Limette
- 1 Chilipfeffer (rot)
- 100 ml Ahornsirup
- 3 EL Tomatenmark
- 3 EL Apfelessig

- 1 Teelöffel Paprikapulver (geräuchert)

Vorbereitung

1. Für feurig-süße Spareribs zuerst den Knoblauch schälen und auspressen. Die Limettenschale einreiben und den Saft auspressen. Den Chilipfeffer entkernen und fein hacken (wenn Sie es würziger mögen, lassen Sie die Samen dabei). Mischen Sie alle Zutaten für die Marinade. Marinieren Sie die Spareribs darin über Nacht.

2. Den Backofen auf 180 ° C vorheizen. Die Spareribs abtropfen lassen, aber die Marinade einsammeln. Im Ofen mindestens 90 Minuten rösten, bis das Fleisch zart ist. Dazwischen mit Marinade beträufeln.

3. Feurig-süße Spareribs mit Limettenschnitzen servieren.

5. Chicken Wings

Zutaten

- 10 Hühnerflügel
- Salz
- Pfeffer (grob)
- Für die Marinade:
- 3 EL Ahornsirup
- 2 EL Whisky
- 5 EL Sojasauce
- 1 Teelöffel Chilipulver

- 1 EL Ingwer (frisch, fein gerieben)

Vorbereitung

1. Für die Hühnerflügel alle Zutaten für die Marinade mischen.

2. Die Hühnerflügel salzen, die Marinade über die Hühnerflügel gießen und über Nacht marinieren lassen.

3. Bereiten Sie den Grill vor. Grillen Sie zuerst die Flügel auf dem Grill am Rand bei schwacher Hitze etwa 15 Minuten lang und bürsten Sie sie dann mehrmals mit der restlichen Marinade. Dann in die Mitte des Grills stellen und bei voller Hitze ca. 5 Minuten grillen, damit die Flügel knusprig werden.

4. Die Hühnerflügel werden vor dem Servieren mit etwas grobem Pfeffer gewürzt.

6. Schweinefleischspieße Satay

Zutaten

Für das Schweinefleisch:

- 600 g Schweinefilz
- 2 EL Erdnussöl
- 2 EL Sojasauce
- 2 Limetten (in Keilen)

Für die Soße:

- 150 ml Kokosmilch
- 1 Teelöffel Curry-Paste (rot)
- 1 EL Honig (dünn)
- 2 Teelöffel Erdnussbutter
- 2 TL Sojasauce
- 2 EL KUNER leichte Mayonnaise (25% Fett)
- 1 Limette (Saft)

Vorbereitung

1. Für den Satay mit Schweinefleischspießen schneiden Sie zuerst das Schweinefilet in mundgerechte Stücke, legen Sie es in eine mittelgroße Schüssel und fügen Sie das Erdnussöl und die Sojasauce hinzu. Zum Marinieren 2 Stunden in den Kühlschrank stellen.

2. Die Kokosmilch in einem kleinen Topf mit der Curry-Paste erhitzen und einige Minuten kochen lassen. Dann Honig, Erdnussbutter und Sojasauce einrühren.

3. Nehmen Sie es vom Herd und lassen Sie es abkühlen. Fügen Sie die Mayonnaise und den Limettensaft hinzu und mischen Sie die Satay-Sauce gut.

4. Legen Sie das Schweinefleisch auf 8 mittelgroße Spieße. Eine Grillpfanne oder einen Grill vorheizen.

5. Grillen Sie die Schweinefleischspieße in der Pfanne oder auf dem Grill auf jeder Seite 3–4 Minuten lang.

6. Das Schweinefleisch mit etwas Satay-Sauce bestreichen und auf jeder Seite weitere 30 Sekunden grillen oder bis die Sauce karamellisiert.

7. Die Schweinefleischspieße Satay servieren mit der restlichen Satay-Sauce und Limettenschnitzen.

7. Gegrillte Wildlachsfilets mit Limette und Chili

Zutaten

- 4 Qualität Erste Wildlachsfilets (aufgetaut)
- 1 Grillschale

Für die Marinade:

- 4 EL Qualität First Toscana Olivenöl
- 2 organische Limetten
- 1 Chili-Pfeffer, entkernt
- 1 Knoblauchzehe
- 1 Teelöffel Meer .Salz (grob)

Vorbereitung

1. Für die gegrillten Wildlachsfilets mit Limette und Chili zuerst den Chili-Pfeffer fein hacken, dann den Knoblauch drücken. Die Limettenschale reiben und die Früchte auspressen. Alle Zutaten zu einer Marinade mischen.

2. Schälen Sie die Haut von den Lachsfilets und marinieren Sie die Filets in der Marinade 30 bis 60 Minuten lang.

3. Bereiten Sie den Grill vor. Stellen Sie die Grillschale auf den heißen Grill. Die

Lachsfilets aus der Marinade nehmen und gut abtropfen lassen. In die Grillschale legen und auf jeder Seite 3–4 Minuten grillen.

4. Die gegrillten Lachsfilets auf Tellern anrichten und die restliche Marinade darüber gießen.

5. Die gegrillten Wildlachsfilets mit Limette und Chili servieren.

8. Striploin Steak mit Knoblauchbrot

Zutaten

- 500 g Streifenfilet (hier: von Scotch Beef & Scotch Lamb)
- Chimichurri (nach dem Rezept von baconzumsteak.de)
- ½ Baguette
- Olivenöl, Knoblauch, Salz und Pfeffer
- etwas frischer Salat

Vorbereitung

1. Nehmen Sie das Steak etwa eine Stunde vor dem Grillen aus dem Kühlschrank, damit es Raumtemperatur erreichen kann. Die Fettdecke wird geschnitten und das Fleisch auf beiden Seiten mit grobem Meersalz eingerieben.

Grillen

2. Der Grill ist für das direkte Grillen bei hoher Hitze vorbereitet und das Steak wird nach der bekannten 90/90/90/90-Methode gegrillt. Zu diesem Zweck wurde die Brutzelzone des LE3 verwendet und das Fleisch dann bei

knapp 150 ° C auf eine Kerntemperatur von ca. 150 ° C in den Grill gezogen. In der Zwischenzeit wird das Olivenöl mit etwas Salz, Pfeffer und zwei gepressten Knoblauchzehen gemischt und auf dem geschnittenen Baguette verteilt. Das Brot wird nun kurz im Grill gegrillt und dann auf dem Salat verteilt. Fügen Sie etwas Chimichurri hinzu. Das Steak war sehr saftig und hatte einen guten Geschmack. Salz und Pfeffer unterstützen den sensationellen Geschmack des Fleisches perfekt.

9. Frühlingsburger à la Sauerland BBCrew

Zutaten

- 600 g Rinderhackfleisch (für zwei Burger)
- 8 Scheiben Cheddar-Käse (oder anderer würziger Käse)
- 1 Tomate
- 6 Scheiben Speck
- Zwiebeln
- Salat
- Rakete
- Salz Pfeffer
- Burgerbrötchen (möglicherweise Toast oder Brot für die Zwischenportion)

- Chipotle-Sauce

Vorbereitung

1. Zuerst würzen Sie das Rinderhackfleisch mit Salz / Pfeffer und mischen es gut. Das Hackfleisch wird dann verwendet, um 150 g Pastetchen zu bilden. Der beste Weg, dies zu tun, ist mit einer Burgerpresse. Die Chipotle-Sauce wird ebenfalls im Voraus zubereitet.

Grillen

2. Der Grill ist für das direkte Grillen bei 200 - 230 ° C vorbereitet. Die Burger-Pastetchen werden zuerst 3-4 Minuten auf einer Seite gegrillt und dann gedreht. Der Käse wird nun auf die bereits gegrillte Seite gelegt, damit er gut fließen kann. In der Zwischenzeit das Zwischenbrötchen auf beiden Seiten grillen, damit es schön knusprig ist, sowie den Speck. Nach weiteren 3-4

Minuten sind die Burgerpastetchen fertig.

3. Dann wird der Burger gekrönt: Der untere Teil des Brötchens wird zuerst mit der Chipotle-Sauce überzogen, und das erste Brötchen wird darauf gepflanzt. Dies wird mit 2 Tomatenscheiben und etwas grünem Salat gekrönt. Jetzt kommt der Zwischenteil, mit dem Sie ein halbes Brötchen nehmen (oder Toast oder Brot ist auch möglich). Dies wird dann mit der Chipotle-Sauce überzogen. Legen Sie das zweite Pastetchen darauf, dann den Speck, ein paar Zwiebeln und etwas Rucola. Die obere Hälfte des Brötchens ist mit der Sauce überzogen und der Double Beef Burger ist fertig - saftiges, würziges Fleisch, knuspriger Speck und eine scharfe Sauce!

10. Griechischer Burger

Zutaten

- 150 g Rinderhackfleisch
- Feta Käse
- Zwiebel (rot)
- Peperoni
- Oliven

- 1 EL Gyros Rub
- Sirtaki
- Burger Brötchen
- Tsatsiki

Vorbereitung

1. Zuerst mischen Sie das Rinderhackfleisch mit dem Gyros Rub (1 EL pro Pastetchen). Das Hackfleisch wird gut geknetet, damit das Gewürz gleichmäßig verteilt wird. Dies wird dann verwendet, um 150-Gramm-Pastetchen zu formen, was am besten mit einer Burgerpresse gemacht wird.

Grillen

2. Der Grill ist für das direkte Grillen bei 200 - 230 ° C vorbereitet. Die Burger-Pastetchen werden zuerst 4 - 5 Minuten auf einer Seite gegrillt und dann gedreht. Nach weiteren 4 - 5 Minuten sind die Burgerpastetchen fertig. Dann wird das Brötchen gekrönt: Zuerst Tsatsiki auf die

untere Hälfte des Brötchens verteilen und mit Salat belegen. Dann legen Sie das Pastetchen darauf, bestreichen es erneut mit Tzatziki und vervollständigen den Burger mit ein paar Würfeln Feta-Käse, Peperoni, Zwiebeln und Oliven - der griechische Burger ist fertig!

KAPITEL ZWEI
Schweinefleisch

11. Bamberger Kohlbraten

Zutaten

- 500 g Weißkohl
- 3 EL Schmalz
- 2 Zwiebeln (fein gewürfelt)
- 250 g Schweinefleisch (gewürfelt)
- 500 g Hackfleisch (gemischt)
- 2 EL Kümmel
- Salz-
- Pfeffer
- 125 ml Weißwein

- 200 Gramm Speck; geräuchert (mit 4 Portionen 7 schmale Scheiben)

Vorbereitung

1. Entfernen Sie die äußeren Blätter vom Kohlkopf. Entfernen Sie den Stiel mit einem scharfen Küchenmesser und blanchieren Sie den Kohl 10 Minuten lang in kochendem heißem Wasser. Auf ein Sieb abtropfen lassen. Ziehen Sie vorsichtig 3 große Blätter von jeder Portion ab und hacken Sie den restlichen Kohl in kleine Stücke.

2. 2/3 des Schmalzes in einem Topf erhitzen. Zwiebeln, Schweinefleisch und Hackfleisch darin anbraten. Mit dem gehackten Kohl mischen, mit Kümmel, Salz und Pfeffer würzen. Gießen Sie den Wein ein; 10 Minuten lang schwach lassen.

3. Eine Auflaufform einfetten und mit jeweils 2 Kohlblättern bestreichen. Die

geschmorte Menge einfüllen und mit den restlichen Speckscheiben bedecken. Das restliche Schmalz in Flocken darauf legen.

4. Den Bamberger Braten im beheizten Backofen bei 225 ° C ca. 45 Minuten.

12. Schweinebacke auf Linsensalat

Zutaten

- 1000 g Schweinebacke
- 20 g geklärte Butter
- 2 Zwiebeln
- 2 Knoblauchzehen
- Salz-

- Pfeffer
- 1 Lorbeergewürz
- 2 Nelken
- Pfefferkörner
- 0,5 TL Koriandersamen
- 1 Thymian
- 1000 ml klare Suppe (Instant)
- 200 g Plattenlinsen
- 60 g geräuchert, streifig
- 200 g gemischtes Gemüse (zB Karotten, Zucchini)
- 4 EL Balsamico-Essig
- 4 EL Öl

Vorbereitung

1. Die Schweineschwarte und das Fett vom Fleisch hacken. Das Fleisch in 4 Stücke schneiden.
2. Im Schmalz braten. Zwiebeln und Knoblauch hacken. Fügen Sie die Hälfte

dem Fleisch hinzu. Gewürze hinzufügen. 1/2 Liter klare Suppe einfüllen und 45 Minuten kochen lassen. Linsen abspülen, 30 Minuten in der restlichen klaren Suppe anbraten. Überspringen Sie den gewürfelten Speck.

3. Den Rest des gewürfelten Gemüses, des Knoblauchs und der Zwiebel hinzufügen. 5 Minuten leicht dämpfen. Abtropfende Linsen einreichen. Schmecken. Alles servieren.

4. Tipp von Armin Rossmeier: Linsen in Mineralwasser herstellen.

5. Sie sollten Schweinebacken im Voraus bei Ihrem Metzger bestellen. Wenn sie in heißer Geflügelbrühe zubereitet werden, bleiben sie saftig und werden nicht ausgelaugt. Die Linsen am Vortag in Mineralwasser einweichen

13. Tomatensalat mit gegrilltem Schweinefleisch

Zutaten

- 1 Zwiebel
- 2 Knoblauchzehen
- 4 EL Olivenöl
- 60 ml Sherry
- 2 EL Zitronensaft
- 1 TL getrockneter Oregano
- Salz-

- Pfeffer aus der Mühle
- 500 g Schweinefilet pariert kochfertig
- gemahlener Koriander
- 6 Tomaten

Vorbereitungsschritte

1. Zwiebel und Knoblauch schälen, Zwiebel in Streifen schneiden und Knoblauch fein hacken. In 1 Esslöffel Öl in einer heißen Pfanne zusammen schwitzen, bis es durchscheinend ist. Mit Sherry und Zitronensaft ablöschen, vom Herd nehmen, mit Oregano bestreuen und mit Salz und Pfeffer würzen.

2. Das Fleisch abspülen, trocken tupfen und in 0,5 cm dünne Scheiben schneiden. Mit Salz, Pfeffer und Koriander würzen, mit 2 EL Öl beträufeln und auf beiden Seiten 3-4 Minuten auf dem heißen Grill kochen.

3. Waschen Sie die Tomaten, schneiden Sie den Stiel aus und schneiden Sie die Tomaten in Scheiben. Layout auf einer

großen Platte oder 4 Platten. Das Fleisch darauf verteilen, das Dressing mit dem restlichen Öl darüber träufeln und vor dem Servieren ca. 10 Minuten ziehen lassen.

14. Gegrilltes Schweinefleisch mit gemischtem Salat

Zutaten

- 1 kg Schweinehals
- 2 EL Honig
- 1 Zitronensaft

- 4 EL Olivenöl
- 1 TL Paprika edel süß
- Chiliflocken
- Für den Salat
- 150 g gemischter Salat zb Frisée, Radicchio, Lammsalat
- 4 EL weißer Balsamico-Essig
- Salz-
- 1 Prise Zucker
- 6 EL Sonnenblumenöl

Vorbereitungsschritte

1. Den Schweinehals abspülen, trocken tupfen und in 8 etwa gleich dünne Scheiben schneiden. Mischen Sie den Honig mit Zitronensaft, Öl, Paprika und Chiliflocken und mischen Sie die Marinade gut mit den Fleischscheiben in einer Schüssel. Abdecken und mindestens 2 Stunden im Kühlschrank stehen lassen.

2. Den Backofen zum Grillen vorheizen.

3. Den Salat waschen und reinigen, gut abtropfen lassen und in kleine Stücke schneiden. Mischen Sie den Balsamico-Essig mit Salz und Zucker und rühren Sie das Öl ein.

4. Grillen Sie die Steaks auf einem Rost im Ofen (unter der Auffangwanne) für 2-3 Minuten auf jeder Seite.

5. Den Salat mit dem Dressing mischen und auf Tellern verteilen. Fügen Sie das gegrillte Schweinefleisch hinzu und servieren Sie es mit den zerrissenen Kräuterblättern.

15. Spieße vom Grill

Zutaten

Für die Marinade

- 4 gehackte Knoblauchzehen

- ½ TL Salz
- 1 Zitrone
- 5 gehackte Salbeiblätter
- 1 TL gehackte Thymianblätter
- 1 TL gehackte Rosmarinnadel
- 3 EL gehackte Petersilie
- ½ TL weißer Pfeffer
- 250 ml Olivenöl

Für das Fleisch

- 400 g Kalbfleisch
- 300 g Schweinefleisch
- 300 g Rindfleisch vom Bein
- 300 g Zwiebeln
- 1 roter Pfeffer
- 1 grüner Pfeffer

Vorbereitungsschritte

1. Alle Zutaten für die Marinade mischen. Das Fleisch würfeln und in die Marinade geben. Abdecken und 1 Stunde ruhen lassen. Zwischendurch abbiegen. Die

Zwiebeln schälen und in Achtel schneiden. Die Paprikaschoten vierteln,

2. Entfernen Sie Kerne und Partitionen. Paprika in große Stücke schneiden. Legen Sie das Fleisch, die Zwiebeln und die Pfefferstücke abwechselnd auf Spieße. Auf den Grillrost legen und auf jeder Seite ca. 6-8 Minuten (je nach Größe) dazwischen wenden und mit der Marinade bestreichen.

16. Schweinefleisch-Speck-Spieße

Zutaten

Für den Dip

- 1 Schalotte
- 1 Apfel

- 100 g Lauch
- 1 EL Pflanzenöl
- 2 TL Currypulver
- ½ TL gemahlener Kreuzkümmel
- 100 ml Gemüsebrühe
- 100 ml Schlagsahne
- 100 g Naturjoghurt
- Salz-
- Cayenne Pfeffer
- Zitronensaft
- 1 EL frisch gehackter Koriander

Für die Fleischspieße

- 600 g Schweinefilet kochfertig
- 12 Scheiben Frühstücksspeck
- Salz-
- Pfeffer aus der Mühle
- 2 EL Pflanzenöl

Vorbereitungsschritte

1. Für den Dip die Schalotte schälen und fein würfeln. Den Apfel waschen und

hacken. Den Lauch reinigen, waschen und schneiden. Alles in einem Topf in heißem Öl anschwitzen. Mit Curry und Kreuzkümmel bestäuben und auf die Brühe und die Sahne gießen. Alles weich kochen und dann fein pürieren. Joghurt einrühren und mit Salz, Pfeffer und Zitronensaft würzen. Zum Servieren Schalen füllen und mit frisch gehacktem Koriander garnieren.

2. Das Fleisch waschen, trocken tupfen, bei Bedarf parieren und in 12 gleich große Medaillons schneiden. Wickeln Sie jedes Medaillon mit einer Speckscheibe ein, würzen Sie es mit Salz und Pfeffer und kleben Sie 2 Medaillons auf einen Holzspieß.

3. Den Backofen auf 180 ° C vorheizen. Das Öl in einer Pfanne erhitzen und die Fleischspieße kurz und würzig braten.

Entfernen Sie und kochen Sie im vorgeheizten Ofen in 8-10 Minuten.

4. Die Spieße auf Teller legen und den Curry-Dip servieren.

17. Grill: Spareribs mit Honigsauce

Zutaten

- 2000 g Spareribs (geschälte Rippen, in 2-3 Rippen geschnitten)
- 3 Trauben Suppengrün
- 2 Knoblauchzehen
- 3 EL Öl
- 1 EL Worcestershire-Sauce oder Sojasauce
- 3 EL Paradeismark
- 1 EL Honig
- 1 EL Orangen (Saft)
- 2 Teelöffel Pfefferkörner
- 1 Chili-Pfeffer; oder 1 TL Tabasco
- 3 EL Sojasauce

- 1 EL Ketchup

Vorbereitung

1. Das Fleisch mit dem gereinigten und grob gehackten Suppengrün, etwas Salz und Pfefferkörnern bedecken und ca. 15 Minuten kochen lassen. Drücken Sie den Knoblauch mit dem entkernten, gehackten Chili-Pfeffer, rühren Sie 1 Esslöffel Öl und die restlichen Zutaten um. Das Fleisch mit der Marinade bestreichen und mindestens 4 Stunden einweichen (ein Tag ist besser).

2. Wischen Sie die Marinade vor dem Grillen wiederholt mit der Bürste ab.

3. Die Spareribs leicht mit Öl bestreichen und dann ca. 20 Minuten von allen Seiten grillen. Gegen Ende der Grillzeit die Marinade verteilen und fertig grillen, bis die Rippen karamellisiert und knusprig sind.

18. BBQ Spareribs

Zutaten

- 300 ml Ketchup
- 250 g Honig
- Salz-
- Pfeffer
- 1 Einstellung von Tabasco
- 2 Teelöffel Oregano (getrocknet)
- 20 ml Weißweinessig
- 2 EL Paradeismark
- 1 EL Cayennepfeffer
- 1200 g geschälte Rippen (Schweinefleisch, ganz)

Vorbereitung

1. Für die BBQ-Spareribs mischen Sie zuerst den Tomatenketchup mit Honig, Salz und Tabasco, Oregano, Pfeffer, Essig und Tomatenmark zu einer Sauce.

2. Hacken Sie das Fett vom Platz. Mit Salz, Pfeffer und Cayennepfeffer einreiben.

3. Bei mittlerer Hitze 20 Minuten auf jeder Seite grillen und mehrmals auf die andere Seite drehen. Verteilen Sie zuerst ein wenig Sauce auf den Rippen und bürsten Sie dann die Oberseite. Wiederholen Sie diesen Vorgang, bis die Sauce aufgebraucht ist.

4. Die BBQ-Spareribs werden am besten im Kesselgrill zubereitet. Die Grillzeit beträgt ca. 45-50 Minuten. Bei der Zubereitung im Ofen insgesamt 40 Minuten bei 220 Grad im beheizten Ofen garen. Gehen Sie genauso vor wie beim Grillen.

19. Schweinebacken vom Raucher

Zutaten

- 0,5 kg Schweinebacken (4 Stück)
- BBQ-Sauce Ihrer Wahl
- 300 - 500 ml Rotwein

Vorbereitung

1. Die Schweinebacken werden mit einer Einreibung Ihrer Wahl gewürzt und dann 12 - 24 Stunden lang mariniert.

Grillen

2. Der Raucher / Grill wird für das indirekte Grillen bei 100 ° C vorbereitet. In der ersten Phase werden die

Schweinebacken 3 Stunden lang leicht geräuchert. Für die zweite Phase wird die Grilltemperatur auf 140 ° C erhöht. Das Fleisch wird in eine geeignete Schüssel gegeben, in die Rotwein zum Dämpfen gegossen wird. Geben Sie etwas BBQ-Sauce über die Wangen und schließen Sie den Behälter. Die Schweinebacken werden 2 Stunden lang gedämpft. In der letzten Phase wird das Fleisch aus der Schale genommen und bei 100 ° C gegrillt. Sie können es 1 - 2 Mal mit der Rotwein-Sauce-Mischung wischen. Nach insgesamt 6 Stunden sind die Schweinebacken des Rauchers fertig: unglaublich zart und saftig!

20. Spanferkel-Sandwich

Zutaten für

- Spanferkel (vorgekocht),
- Brot,
- Feldsalat,
- Zwiebeln,
- Gurken,
- Tomaten,
- Grillsoße

Vorbereitung

1. Das gefrorene Spanferkel wird am Tag vor dem Grillen im Kühlschrank langsam

aufgetaut. Lammsalat, Gurke und Tomaten werden gewaschen und für das Sandwich-Topping vorbereitet. Die Zwiebel wird in Ringe geschnitten.

Grillen

1. Der Grill (oder Ofen) wird zuerst auf indirekte Wärme von 120 ° C erhitzt. Das Fleisch wird auf eine mit Wasser gefüllte feuerfeste Schale mit einem Einsatz gelegt, damit das Fett ins Wasser tropft. Das Fleisch wird auf diese Weise ca. 60 Minuten gebraten. Um der Kruste das perfekte Finish zu verleihen, wird die Temperatur auf ca. 200 ° C nach 60 Minuten. Es ist jetzt wichtig, dass Sie genug Hitze für die Kruste bekommen. Bei Bedarf können Sie das Fleisch auch mit der Kruste direkt über die Hitze legen. Nach ca. 15 Minuten sollte die Kruste fertig sein. Aber hier handeln Sie bitte nach Ihren Gefühlen, damit die

Kruste nicht brennt - das wäre eine Schande! Die Brotscheiben werden bei direkter Hitze auf beiden Seiten kurz geröstet.

KAPITEL DREI
Fisch

21. Gegrillter Heilbutt

Zutaten

- 4 Heilbutt
- Olivenöl (für Marinade)
- 8 Scheiben Hamburger Speck
- 4 Zitronenscheibe (n)

- Rosmarin (für die Marinade)
- Knoblauch (für die Marinade)
- Pfeffer (für die Marinade)

Vorbereitung

1. Für den Heilbutt vom Grill die Heilbuttfilets mit der Kräutermarinade bestreichen. Legen Sie eine Zitronenscheibe auf jedes Filet und wickeln Sie den Fisch in Speck. Bei direkter Hitze grillen.

22. Gegrillte Seebrasse

Zutaten

- 4 Stück Meer .Brachsen
- 2 Stück Zitrone
- 3 EL Thymian
- 4 EL Meer .Salz-
- 200 ml Olivenöl
- 4 EL Zitronenpfeffer
- BBQ Gewürz

Vorbereitung

1. Für das gegrillte Meer .Brasse, mischen Sie die Zutaten in eine Marinade und marinieren Sie die Seebrasse für mindestens 30 Minuten. Dann legen Sie

den Fisch auf den Grill und würzen ihn beim Grillen mit einem BBQ-Gewürz.

2. Den Fisch grillen, bis die Haut knusprig ist. Das gegrillte Seebrassengericht und servieren.

23. Gegrillter Wolfsbarsch mit

Petersilienkartoffeln

Zutaten

- 2 Stück Meer .Bass (ganz, röstfertig, je ca. 250 g, ausgenommen)
- Fischgewürz (oder geeignete Gewürze: Salz, Pfeffer, Paprika, Kräuter, Zitronensaft)
- Olivenöl
- 8-10 Kartoffeln
- Petersilie
- Butter
- Salz-

Vorbereitung

69

1. Für den gegrillten Wolfsbarsch den Fisch waschen und trocken tupfen; Mit den Gewürzen und dem Olivenöl einreiben und etwas ziehen lassen (1-2 Stunden, wenn Sie möchten, auch über Nacht).
2. Dann den Fisch in eine Aluminium-Grillschale geben und ca. 10 Minuten im Ofen grillen (je nach Farbe etwas weniger), dann wenden und erneut ca. 10 Minuten grillen.
3. Für die Petersilienkartoffeln die Kartoffeln weich kochen, schälen und halbieren oder vierteln. Die Butter in einer Pfanne schmelzen, die gehackte Petersilie dazugeben und kurz anbraten. Die Kartoffeln in die Butter geben, mit Salz würzen und die Pfanne kräftig schütteln, damit sich alles gut vermischt.
4. Der gegrillte Wolfsbarsch mit Petersilienkartoffelgericht.

24. Gegrillte Forelle

Zutaten

- 1 Stück Forelle (ca. 300 g, kochfertig)
- Salz (zum Einreiben)
- 1 Zweig Rosmarin
- 1 Zweig (e) Ysop
- 1 Zweig Estragon
- 1 Zweig Oregano
- 7 Salbeiblätter
- Etwas Zitronenbasilikum

Vorbereitung

1. Waschen Sie für die gegrillte Forelle zuerst die Forelle, tupfen Sie sie trocken

und reiben Sie das Salz innen und außen ein. Füllen Sie die Kräuter in die Bauchhöhle und klemmen Sie den Fisch in eine Fischzange.

2. Auf dem Grill ca. 15 Minuten grillen, dabei häufig wenden.

25. Gegrillte Makrele

Zutaten

- 1 PC Makrele
- Salatblätter
- 3 EL Salz
- 1 Teelöffel Wasabi (Pulver oder aus einer Tube)
- 1 EL Sojasauce
- Zitrone

Vorbereitung

1. Für die Makrele die Innereien abschuppen, waschen und entfernen.

2. Schneiden Sie den Fisch mit einem Messer bis zur Rückenflosse, dann können Sie den Fisch flach verteilen. Den

Fisch auf beiden Seiten salzen und etwas stehen lassen.

3. Den gesalzenen Fisch innen auf dem vorgeheizten, geölten Grill braten. Wenn Sie es im Ofen rösten, heizen Sie auch das geölte Backblech vor.

4. Die Salatblätter auf einem Teller verteilen, die gegrillte Makrele darauf legen und mit Petersilie und Zitronenschnitzen auslegen.

5. Die Wasabi-Sauce wird separat serviert.

26. Gegrillte Sardellen

Zutaten

- 1 kg Sardellen
- etwas Salz (grob)
- etwas Olivenöl
- 1 Zweig Rosmarin

Vorbereitung

1. Bei gegrillten Sardellen zuerst die Sardellen reinigen, die Kiemen entfernen und die Köpfe abschneiden.

2. Machen Sie einen Schnitt an der Seite entlang des Rückgrats und trocknen Sie ihn gut mit einem Papiertuch ab. Die Sardellen nur außen mit grobem Salz salzen.

3. Den Grill gut erhitzen und etwas mit Olivenöl einölen. Die Sardellen auf beiden Seiten 3 bis 5 Minuten braten. Den Fisch nur einmal wenden. Zwischendurch mit dem in Olivenöl getauchten Rosmarinzweig bestreichen.

4. Die Sardellen grillen, bis die Haut goldbraun und knusprig ist.

5. Die gegrillten Sardellen werden sofort serviert.

27. Gegrilltes Rotbarschfilet in einem Bananenblatt

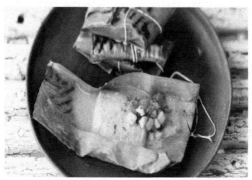

Zutaten

- Bananenblätter
- 800 g Rotbarsch
- Küchenkräuter (zB Dill, Basilikum, Zitronenmelisse)
- 4 Zehen Knoblauch
- 200 ml Weißwein
- Orangenschale
- 100 ml Öl
- Essig
- Pfeffer
- Salz-

Vorbereitung

1. Für gegrilltes Rotbarschfilet im Bananenblatt zuerst den Rotbarsch filetieren und die Filets in eine flache Schale legen. Das Öl erhitzen und kurz auf Knoblauch, Kräuter und Orangenschale rösten. Mit Weißwein und Essig auslöschen und ca. 2 Minuten kochen lassen. Kühlen Sie ab und verteilen Sie es gleichmäßig lauwarm auf den Fischfilets. Mit Frischhaltefolie abdecken und mindestens 2 Stunden darin marinieren.

2. Schneiden Sie die Bananenblätter in 20 cm lange Stücke und blanchieren Sie sie 30 Sekunden lang in Salzwasser. Legen Sie die abgetropften Fischfilets darauf. Den Fisch mit Pfeffer und Salz würzen und zu einem Päckchen falten.

3. Die Päckchen auf beiden Seiten ca. 2 Minuten grillen und weitere 4 Minuten auf dem Grill ruhen lassen. Das gegrillte

Rotbarschfilet im Bananenblatt servieren.

28. Seeteufel-Mango-Spieße

Zutaten

- 600 g Seeteufelfilets
- 2 reife Mangos
- 1/2 Zitrone (unbehandelt)
- 2 Zweig Petersilie (n)
- 4 EL Olivenöl
- Salz-
- Pfeffer (frisch gemahlen)
- Holzspieße

Vorbereitung

1. Für die Seeteufel-Mango-Spieße die Seeteufelfilets mit kaltem Wasser abspülen und trocken tupfen. In Würfel schneiden ca. 3 x 3 cm.

2. Reiben Sie etwas Zitronenschale ein und drücken Sie den Saft aus. Die Petersilienblätter von den Stielen nehmen und fein hacken. Das Olivenöl mit Zitronensaft, Petersilie, Salz und Pfeffer zu einer Marinade mischen. Legen Sie die Seeteufelwürfel hinein und bedecken Sie sie gut mit der Marinade. Abdecken und mindestens 30 Minuten abkühlen lassen.

3. Die Mangos schälen und den Stein entfernen. Auch in Würfel schneiden. Legen Sie die Seeteufel- und Mangowürfel abwechselnd auf Spieße.

4. Die Seeteufel- und Mangospieße auf dem heißen Grill grillen ca. 12 Minuten, während sie sich häufig drehen.

29. Fischspieße vom Gitter

Zutaten

- 600 g Pollackfilet
- 1 EL Zitronensaft
- 1 Dose Ananas
- 4 Zwiebeln
- 1 Paprika
- Salz-

- Pfeffer (frisch gemahlen)
- 4 Holzspieße (in Wasser eingeweicht)

Für den Dip:

- 1 Päckchen Crème Fraîche
- 2 EL Mayonnaise
- 1/2 Teelöffel Currypulver
- 1 EL Ananassaft
- Salz-
- Pfeffer (frisch gemahlen)

Vorbereitung

1. Spülen Sie die Pollackfilets ab, trocknen Sie sie ab, schneiden Sie sie in mundgerechte Stücke und beträufeln Sie sie mit dem Saft einer Zitrone.
2. Die Ananas auf ein Sieb geben und abtropfen lassen - den Saft auffangen.
3. Entfernen Sie die Haut von den Zwiebeln und schneiden Sie sie in zwei Hälften.
4. Den Pfeffer putzen, abspülen und in Stücke schneiden.

5. Die Zutaten abwechselnd auf Spieße legen und mit Salz und Pfeffer würzen. Mit dem Öl bestreichen und 10-15 Minuten grillen, dabei häufig wenden.
6. Die Crème Fraîche mit dem Majo glatt rühren und mit Salz, Pfeffer, Curry und Ananassaft würzen. Bringen Sie die Currysauce zu den Spießen auf dem Tisch.

30. Lachs von der Zedernplanke

Zutaten

- 1 Lachsfilet

Für die Marinade

- 1 EL Senf
- 1 EL Butter (Schmelze)
- 1 EL Honig
- je 1 Prise Salz, Pfeffer

Vorbereitung

1. Etwa 1 Stunde vor dem Grillen die Zedernplanke in Wasser legen. Am besten beschweren Sie es mit einem Gegenstand, damit er genügend Wasser ansaugt. Nehmen Sie den Lachs in der Zwischenzeit aus dem Kühlschrank und lassen Sie ihn Raumtemperatur erreichen. Zu guter Letzt mischen Sie die Zutaten der Marinade, mit der das Lachsfilet später überzogen wird.

Grillen

2. Der Grill ist für das direkte und indirekte Grillen bei einer Temperatur von 180 ° C vorbereitet. Sobald die Temperatur erreicht ist, legen Sie die feuchte Zedernplatte auf die direkte Seite des Grills und warten Sie, bis sie zu rauchen beginnt (nach 10-15 Minuten). Dann ist

die Planke bereit für den Lachs. Die Zedernplanke wird umgedreht und auf den indirekten Bereich geschoben. Die Lachsfilets kommen jetzt auf die "verkohlte" Seite und sind großzügig mit der Marinade überzogen. Dann wird der Deckel geschlossen und die Filets werden etwa 20 bis 25 Minuten lang gegrillt, bis die Oberfläche schön braun ist oder der Fisch eine Kerntemperatur von 58 bis 60 Grad Celsius erreicht hat.

KAPITEL VIER

Geflügel

31. Putenfrischkäsebrötchen

Zutaten

- 4 Scheiben Putenbrust
- 5 g Geflügelgewürzmischung
- 15 schwarze Oliven
- 4 sonnengetrocknete Tomaten
- 150 g Frischkäse
- 1 EL Semmelbrösel
- 1 EL Kräuter der Provence

Vorbereitung

1. Für dieses Rezept benötigen wir möglichst dünne Putenbrustscheiben.

Dazu werden die Putenbrustscheiben mit einem Schläger, ähnlich dem aus dem Schnitzel bekannten, erneut bearbeitet, bis sie gleichmäßig dünn sind.

2. Das dünn zerstoßene Fleisch wird mit der Geflügelgewürzmischung bestreut. Dann kommt es zur Füllung, die Tomaten und Oliven in kleine Stücke schneiden und mit dem Frischkäse mischen. Um die Konsistenz dieser Masse zu verbessern, werden Semmelbrösel hinzugefügt.

3. Die Putenscheiben mit der Käsemischung bestreichen und mit Kräutern aus der Provence bestreuen. Das fertige Stück Fleisch muss jetzt aufgerollt werden. Es ist wichtig, dass die Fleischscheibe fest aufgerollt ist, da sie sonst auf dem Grill auseinanderfallen kann.

4. Damit unsere Putenbrustrolle nicht nur geschmacklich, sondern auch ästhetisch

auf dem Grill glänzt, machen wir aus der Rolle einen Brötchenspieß. Die Rolle in Stücke schneiden. 3 cm breit und Spieß 3-4 Stück flach.

32. Gegrillte Entenbrust

Zutaten

- 2 Entenbrustfilets á 350 g
- 1 Teelöffel Zucker
- 1 Teelöffel Paprikapulver
- 1 Teelöffel Knoblauchpulver
- 1/2 Teelöffel Chiliflocken
- 1/2 Teelöffel Kreuzkümmel
- Etwas Salz und Pfeffer
- 5 EL Olivenöl

Marinade

- Wir machen eine würzige Marinade aus Zucker, Paprika, Knoblauch, Chili, Kreuzkümmel und Olivenöl. Reiben Sie die beiden Entenbrüste gut damit ein und lassen Sie sie etwa eine halbe Stunde ziehen.

Vorbereitung

1. Vor dem Grillen sollte die Fettschicht der Entenbrust mit einem scharfen Messer leicht geschnitten werden. Der Grill sollte gut vorgeheizt sein. Wir grillen die Entenbrust bei direkter Hitze zwei Minuten lang auf beiden Seiten. Dann grillen wir noch etwa zehn Minuten indirekt. Das Kernthermometer sollte eine Temperatur von 68 Grad anzeigen, dann ist die Entenbrust perfekt.

2. Die Entenbrust in Scheiben schneiden und mit Lammsalat servieren.

33. Kaffee-Pflaumen-Huhn

Zutaten

- 2 EL Kaffee Cannonball Rub

- 2 EL getrocknete Pflaumen

- 2 EL Olivenöl

- 1 EL Ahornsirup

- 2 Teelöffel Pflaumenmarmelade

Vorbereitung

1. Die getrockneten Pflaumen hacken und alle Zutaten zu einer Marinade mischen, die Sie dann mit den Oberschenkeln in einem Gefrierbeutel füllen. Verschließen Sie den Beutel und massieren Sie die

Marinade in das Fleisch. Das Ganze ist jetzt mindestens 1-2 Stunden im Kühlschrank.

2. Grillen Sie die Hähnchenschenkel bei etwa 200 Grad im indirekten Bereich. Nach etwa 35-40 Minuten beträgt die Kerntemperatur 80 Grad. Je nachdem, wie es Ihnen am besten gefällt, können Sie die Haut bei direkter Hitze kurz knirschen lassen.

34. Gegrillte Entenbrust

Zutaten

- 2-3 Entenbrüste
- 10 Zweige Thymian
- 2 EL Olivenöl
- Salz-
- Pfeffer (frisch gemahlen)

Vorbereitung

1. Für die gegrillte Entenbrust die Entenbrüste mit kaltem Wasser abspülen und vorsichtig trocken tupfen.

2. Zupfen Sie die Thymianblätter von den Stielen und hacken Sie sie fein. Mischen Sie das Olivenöl mit dem gehackten Thymian, Salz und Pfeffer zu einer Marinade. Legen Sie die Entenbrüste in die Marinade und lassen Sie sie ziehen.

3. Die Entenbrüste zuerst auf der Hautseite auf dem heißen Grill anbraten, die Haut sollte wirklich knusprig sein. Drehen und braten Sie auch die Fleischseite. Legen Sie 3 Stück Aluminiumfolie auf die Arbeitsfläche. Nehmen Sie nun die Entenbrüste vom Grill und wickeln Sie sie in Aluminiumfolie ein. Wieder auf den Grill legen und ca. 12 Minuten braten. Das Entenfleisch sollte innen noch zart rosa sein. In der Zwischenzeit drehen Sie es oft.

35. Gegrillte Hähnchenbrust in Kräutern mariniert

Zutaten

- 125 g QimiQ
- 50 g Olivenöl
- 50 ml Wasser
- 1 EL Zucker (braun)
- 40 g Kräuter (frisch, gehackt)
- 3 Knoblauchzehen (fein gehackt)

- 3 EL Zitronensaft
- 1 EL Tabasco
- Salz-
- Pfeffer
- 8 Stück Hähnchenbrust

Vorbereitung

1. Für gegrillte Hähnchenbrust in Kräutermarinade den ungekühlten QimiQ glatt rühren; Langsam im Olivenöl einarbeiten.
2. Die restlichen Zutaten hinzufügen und gut mischen. Das vorbereitete Fleisch 3-4 Stunden im Kühlschrank marinieren.
3. Die Gewürzsauce vom Fleisch abziehen, auf den Grill legen und immer wieder mit der leicht erwärmten Marinade bestreichen.
4. Gegrillte Hähnchenbrust in Kräutermarinade servieren.

36. Brathähnchen aus dem holländischen Ofen

Zutaten

- 1 Huhn (kochfertig)
- 4 Kartoffeln
- 1 Karotte
- 1 Scheibe Sellerie (n)
- 1 Zwiebel

- 1 EL geklärte Butter
- 1 Teelöffel Paprikapulver
- Salz-
- Pfeffer (frisch gemahlen)
- klare Suppe zum Gießen

Vorbereitung

1. Für das Brathähnchen aus dem holländischen Ofen das Hähnchen innen und außen mit kaltem Wasser abspülen und trocken tupfen. Entfernen Sie das Rückgrat mit einem scharfen Messer. Mischen Sie das Salz und den Paprika und reiben Sie das Huhn innen und außen.

2. Kartoffeln und Wurzelgemüse schälen, in große Stücke schneiden und die Zwiebel vierteln. Verteilen Sie die geklärte Butter auf dem Boden des holländischen Ofens, legen Sie das Huhn mit der Öffnung nach unten darauf und legen Sie rundum Kartoffeln, Zwiebeln und Gemüsestücke

darauf. Ca. 1 ½ Stunden bei guter Hitze. Wenn Sie den Topf in die heiße Glut stellen, gießen Sie häufig Suppe darunter, damit das Huhn nicht verbrennt.

3. Das Brathähnchen schnitzen. Bei Bedarf das Brustfleisch in Stücke schneiden, die Knöchel können in die Hand genommen werden.

37. Hühnchen-Curry-Spieße

Zutaten

- 18 Stück Hühnchen (in Würfel geschnitten)
- 1 Schuss Olivenöl
- 1 Teelöffel Curry
- 1 Teelöffel Salz
- 1 Knoblauchzehe
- 4 Scheiben Zucchini (gelb)
- 1 Apfel
- 3 Paprika (rot, klein)

Vorbereitung

1. Für die Curry-Hühnchen-Spieße die Marinade mit Olivenöl, Curry, Salz und einer zerdrückten Knoblauchzehe mischen.

2. Rollen Sie die Hühnchenstücke hinein. Mindestens 1 Stunde in den Kühlschrank stellen.

3. Die Spieße abwechselnd mit geviertelten Zucchinischeiben, Fleisch und Apfel

garnieren. Schließlich wird auf jeden Spieß ein kleiner Pfeffer aufgespießt.

4. Am besten grillen Sie die fertigen Curry-Hühnchen-Spieße in einer Grillschale auf dem Grill. Die restlichen Apfelstücke damit auf den Grillbecher legen.

38. Hühnerbrust mit Speck und Minze

Zutaten

- 2 Hähnchenbrustfilets (ohne Haut)
- 4 Scheibe Speck
- 10 Blätter Pfefferminze
- Für die Reibung:
- 1 Teelöffel Rohrohrzucker (Bio)

- 1 Teelöffel Steinsalz (nicht jodiert)
- 1 Teelöffel Paprikapulver (edel süß)
- Pfeffer
- 1/2 Teelöffel Liebstöckel (getrocknet, gerieben)
- 1 Knoblauchzehe (groß)

Vorbereitung

1. Für die Hühnerbrust mit Speck und Minze zuerst reiben. Dazu alle Zutaten gut mischen und die Knoblauchzehe einpressen.

2. Die Hähnchenbrustfilets parieren, in etwa 2/3 der Länge schneiden und vollständig einreiben (auch innen). Mindestens 2 Stunden in den Kühlschrank stellen.

3. Legen Sie die Minzblätter teilweise in die Innentasche und oben drauf. Jeweils mit 2 Scheiben Speck umwickeln und mit

Zahnstochern fixieren. Den Raucher auf 180 ° C vorheizen.

4. Grillen Sie die Hühnerbrust mit Speck und Minze indirekt etwa 25 Minuten lang, bis der Speck knusprig ist.

39. Truthahnspieße

Zutaten

- 300 g Putenbrust
- 3 EL Öl
- 2 EL Sojasauce

- 2 Zucchini
- 200 g Pilze
- 2 Paprika

Vorbereitung

1. Putenbrust in Würfel schneiden. Mischen Sie das Öl und die Sojasauce, marinieren Sie die Fleischwürfel darin 30 Minuten lang.
2. Zucchini, Pilze und Paprika in mundgerechte Stücke schneiden.
3. Das Fleisch etwas abtropfen lassen und abwechselnd mit dem Gemüse auf die Spieße legen.
4. Die restliche Marinade auf den Spießen verteilen, auf ein Backblech legen und im Ofen ca. 15 Minuten grillen, dabei einmal wenden.
5. Die Spieße anrichten und servieren.

40. Hühnerflügel mit Honigahorn-Eis

Zutaten

- Hühnerflügel
- Sesamsamen

Für die Marinade:

- 4 Esslöffel Olivenöl

- 2 Esslöffel Hühnchen reiben
- Honig-Ahorn-Glace

Vorbereitung

1. Die Hühnerflügel werden zuerst gewaschen und trocken getupft. Dann werden Sie mit der Marinade eingerieben und mindestens 2 Stunden lang gekühlt, damit die Gewürze einwirken können. Die Zutaten für die Glasur werden ebenfalls auf die gleiche Weise gemischt.

Grillen

2. Der Grill ist für direktes und indirektes Grillen bei ca. 230 - 250 ° C. Die Hühnerflügel werden zunächst 6 Minuten bei direkter Hitze gegrillt und nach 3 Minuten gewendet. Jetzt legen Sie die Flügel auf den indirekten Bereich und grillen sie für weitere 10 Minuten. Dann beschichten Sie die Flügel vollständig mit der Glasur und grillen die Flügel für weitere 5 Minuten. Dann werden die

Hühnerflügel wieder glasiert und mit Sesam bestreut. Nach weiteren 10 Minuten sind die Flügel fertig.

KAPITEL FÜNF

Gemüse

41. Mais-Lorbeer-Spieße

Zutaten

- 2 gekochte Maiskolben (Dose oder Vakuumverpackung)
- 10 frische Lorbeerblätter
- 1 EL Olivenöl
- Zitronenpfeffer
- Salz-
- 1 Prise Zucker

Vorbereitungsschritte

1. Die Maiskolben abtropfen lassen und jeweils in 6 Scheiben schneiden.
2. Legen Sie den Mais und die Lorbeerblätter abwechselnd auf 4 Grillspieße.
3. Rundum mit dem Öl bestreichen und am Rand des heißen Grills 10-15 Minuten bräunen, dabei hin und wieder wenden. Mit Zitronenpfeffer, Salz und einer Prise Zucker würzen und servieren.

42. Gegrillte Auberginen

Zutaten

- 20 g ungeschälter Sesam (2 EL)
- 9 EL rote Misopaste
- 70 g Rohrohrzucker
- 4 EL Mirin
- 2 EL Reisessig
- 6 EL klassische Gemüsebrühe
- 2 EL leichte Sojasauce
- 800 g große Auberginen (2 große Auberginen)
- 3 EL Rapsöl

Vorbereitungsschritte

1. Die Sesamkörner in einer kleinen Pfanne bei mittlerer Hitze goldbraun rösten. Nehmen Sie es vom Herd und lassen Sie es abkühlen.

2. Miso, Zucker, Mirin, Reisessig, Gemüsebrühe und Sojasauce in einen kleinen Topf geben. Bei mittlerer Hitze unter Rühren zum Kochen bringen und beiseite stellen.

3. Auberginen waschen, trocken reiben und längs halbieren. Schneiden Sie das Fruchtfleisch kreuzweise auf die Schnittflächen. Das Öl in einer großen Antihaftpfanne erhitzen.

4. Die Auberginenhälften nacheinander auf den Schnittflächen 3-4 Minuten goldbraun braten. Umdrehen und bei mittlerer Hitze weitere 3-4 Minuten in der Pfanne abdecken, bis sie weich sind. Dann legen Sie die Haut mit der Seite nach unten auf ein Backblech.

5. Mit der Mirin-Miso-Mischung bestreichen und 4-5 Minuten unter dem vorgeheizten Ofengrill grillen. Mit Sesam bestreuen und servieren.

43. Gegrillte Maiskolben mit Parmesan

Zutaten

- 4 Maiskolben
- Salz-
- 1 Prise Zucker
- 50 g Parmesan (1 Stück)
- 1 Limette
- 2 EL Sonnenblumenöl
- 30 g Joghurtbutter (2 EL)
- Meersalz

- Chilipulver

Vorbereitungsschritte

1. Reinigen Sie die Maiskolben und köcheln Sie in kochendem Wasser mit Salz und Zucker bei schwacher Hitze etwa 15 Minuten lang.

2. In der Zwischenzeit den Parmesan reiben. Waschen Sie die Limette mit heißem Wasser und vierteln Sie sie.

3. Nehmen Sie die Maiskolben aus dem Topf und lassen Sie sie abtropfen. Dann eine dünne Schicht Öl auftragen und 10 Minuten auf dem heißen Grill grillen, dabei gelegentlich wenden.

4. Den Maiskolben mit Butterflocken bedecken, mit Salz und Chili würzen und mit Parmesan bestreuen. Servieren Sie die Limettenviertel mit dem Maiskolben.

44. Gegrillte Kartoffeln mit Kräutern

Zutaten

- 800 g Wachskartoffeln
- Salz-
- 1 Zweig Rosmarin
- 1 Knoblauchzehe
- 1 Schalotte
- 6 EL Olivenöl
- Öl für den Grill
- frische Kräutermischungen zum Garnieren

- 1 EL Zitronensaft zum Nieseln

Vorbereitungsschritte

1. Waschen Sie die Kartoffeln gründlich und kochen Sie sie etwa 20 Minuten lang in kochendem Salzwasser vor.

2. In der Zwischenzeit den Grill aufheizen.

3. Rosmarin waschen, trocken schütteln, Nadeln abstreifen und fein hacken. Knoblauch und Schalotte abziehen, fein hacken und mit Rosmarin, Öl, Salz und Pfeffer mischen.

4. Die Kartoffeln abtropfen lassen, verdunsten lassen, halbieren, mit dem Kräuteröl mischen und mit der Schnittfläche nach unten auf den heißen, geölten Grill legen. 3-4 Minuten grillen, wenden und weitere 3-4 Minuten grillen. Immer wieder mit dem Rest der Marinade bestreichen.

5. Die Kartoffeln mit frischen Kräutern servieren, mit Zitronensaft beträufeln und sofort servieren.

45. Gegrillter grüner Spargel

Zutat

• 1 kg grüner Spargel

• Salz-

• Zucker

• 50 g geschmolzene Butter

• Pfeffer aus der Mühle

• 1 unbehandelte Zitrone in Keile geschnitten.

Vorbereitungsschritte

1. Das untere Drittel des Spargels schälen, die Holzenden abschneiden und die Stangen 3 Minuten lang in kochendem Salzwasser mit einer Prise Zucker vorkochen. Abgießen, in kaltem Wasser abspülen und abtropfen lassen.
2. Den Grill aufheizen.
3. Den Spargel 3-5 Minuten auf dem heißen Grill grillen, dabei gelegentlich wenden. Auf einem Teller anrichten, mit Butter bestreuen, mit Salz und Pfeffer würzen und mit je einem Zitronenschnitz garniert servieren.

46. Gegrillte Couscous-Tomaten

Zutaten

- Salz-

- 2 EL Olivenöl

- 200 g Instant-Couscous

- 50 g Pinienkerne

- ½ Bund Petersilie

- 1 Bund Frühlingszwiebeln

- 30 g Sultaninen
- 1 TL pinkfarbenes Paprikapulver
- 1 TL Zimt
- Pfeffer
- 1200 g Tomaten (6 Tomaten)

Vorbereitungsschritte

1. 250 ml Salzwasser mit dem Öl zum Kochen bringen. Vom Herd nehmen und den Couscous einfüllen.

2. Kurz umrühren und abdecken und 5 Minuten einweichen lassen.

3. In eine Schüssel geben und mit einer Gabel flusen.

4. Pinienkerne in einer Pfanne ohne Fett rösten.

5. Petersilie waschen, trocken schütteln, Blätter hacken. Die Frühlingszwiebeln putzen, waschen und in dünne Scheiben schneiden.

6. Couscous mit Pinienkernen, Petersilie, Frühlingszwiebeln, Sultaninen, Paprika

und Zimt mischen. Mit Salz und Pfeffer würzen.

7. Tomaten waschen. Schneiden Sie einen Deckel ab und kratzen Sie die Samen mit einem Esslöffel aus.

8. Das Innere der Tomaten mit Salz und Pfeffer würzen und mit Couscous füllen. Setzen Sie die Abdeckungen wieder auf.

9. Grillen Sie die Tomaten 10 Minuten lang auf einem leicht geölten Grilltablett auf dem mittelheißen Grill. Decken Sie die Tomaten mit einer Metallschale ab (oder grillen Sie sie unter einem geschlossenen Kesselgrill, falls Sie einen haben).

47. Gegrillte Zucchini mit Schafskäse

Zutaten

- 600 g Zucchini
- 3 Knoblauchzehen
- 8 EL Olivenöl
- Salz-
- Pfeffer

- 150 g Feta (45% Fett in der Trockenmasse)
- 2 Stiele Minze zum Garnieren

Vorbereitungsschritte

1. Zucchini putzen und waschen und diagonal in ca. 0,7 cm dicke Scheiben. Knoblauch schälen, hacken und mit Öl, Salz und Pfeffer mischen, mit den Zucchinischeiben beträufeln und ca. 1 Stunde ziehen lassen.

2. In der Zwischenzeit den Feta in Stücke zerbröckeln, die Minze waschen, trocken schütteln und die Blätter abholen. Den Grill erhitzen, die Zucchinischeiben auf den heißen Grill legen und beim Drehen 6–8 Minuten grillen. Immer wieder mit dem Knoblauchöl beträufeln. Mit Feta bestreuen und auf mit Minze garnierten Tellern servieren.

48. Halloumi Gemüsespieße

Zutaten

- 200 g Halloumi
- 1 Zucchini
- 2 rote Zwiebeln
- 1 roter Pfeffer
- 1 gelber Pfeffer

- 4 Lorbeerblätter
- 1 TL frisch gehackter Oregano
- 1 TL frisch gehackter Thymian
- 4 EL Olivenöl
- 1 zerdrückte Knoblauchzehe
- Salz-
- Pfeffer aus der Mühle

Vorbereitungsschritte

1. Den Käse in 2 cm große Würfel schneiden. Die Zucchini waschen, den Stiel entfernen und in 1 cm dicke Scheiben schneiden. Zwiebeln schälen und vierteln. Paprika waschen, Kern entfernen und in mundgerechte Würfel schneiden.

2. Legen Sie die Zutaten abwechselnd auf die Spieße, mit einem Lorbeerblatt dazwischen, wenn Sie möchten.

3. Mischen Sie die Kräuter mit Öl, Knoblauch, Salz und Pfeffer und

bestreichen Sie die Spieße damit. Lassen Sie es kurz ziehen.

4. Bereiten Sie den Holzkohlegrill vor oder heizen Sie den Grill im Ofen vor.

5. Legen Sie die Spieße auf den Rost (mit dem Backblech darunter) und grillen Sie sie 10 bis 15 Minuten lang goldbraun, wobei Sie sie häufig drehen.

49. Gegrillte Artischocken mit Petersilie

Zutaten

- 1 Knoblauchzehe
- 3 EL Olivenöl

- 16 kleine Artischockenherzen
- 1 EL Zitronensaft zum Nieseln
- Salz Pfeffer aus der Mühle
- 2 EL gehackte Petersilie

Vorbereitungsschritte

1. Die Knoblauchzehe schälen, sehr fein hacken und mit dem Öl mischen.

2. Reinigen Sie die Artischocken und lassen Sie einen Teil des Stiels stehen und schälen Sie sie. Die gereinigten Artischocken längs in ca. 1 cm dicke Scheiben schneiden und sofort mit Zitronensaft beträufeln. Salz, Pfeffer und Grill auf dem Grill für ca. 2 Minuten auf beiden Seiten (alternativ in etwas Olivenöl in einer Grillpfanne braten).

3. Vom Grill nehmen und in eine Schüssel geben, mit dem Knoblauchöl beträufeln und lauwarm mit Petersilie mischen.

50. Gegrillte Karotten

Zutaten

- 800 g Karotten

- 3 EL Olivenöl
- ½ TL flüssiger Honig
- 1 ½ EL Orangensaft
- ½ TL getrockneter Oregano
- Meersalz
- Pfeffer

Vorbereitungsschritte

1. Die Karotten längs putzen, schälen und halbieren. Mischen Sie das Öl mit dem Honig, Orangensaft und Oregano. Die Schnittfläche der Karotten damit bestreichen und auf den heißen Grill legen.

2. Schließen Sie den Deckel und grillen Sie die Karotten ca. 6 Minuten lang. Mit Salz, Pfeffer würzen und auf 4 Tellern servieren.

FAZIT

Jedes Mal, wenn Sie grillen, müssen Sie eine wichtige Entscheidung über die Art des zu verwendenden Rauchholzes treffen. Rind-, Schweine-, Geflügel- und Meeresfrüchte haben je nach Holz unterschiedliche Geschmacksrichtungen. Es ist auch wahr, dass bestimmte Hölzer mit bestimmten Fleischsorten assoziiert sind und diese ergänzen.

Viele der besten Grillexperten schweigen, wenn es darum geht, ihre genauen Geheimnisse preiszugeben, da das Grillen oder Rauchen mit Grillholz ein so wichtiger Teil ihres Repertoires ist. Alles, von der Holzart, die sie verwenden, über ihre eigenen Saucenrezepte bis hin zum Würzen des Fleisches vor dem Grillen, kann zu streng geheimen Waffen werden, um auf dem Laufenden zu bleiben.

Lightning Source UK Ltd.
Milton Keynes UK
UKHW021357070521
383304UK00001B/124